Montañas

Primera Edición: 2007
ISBN: 978-84-96609-08-2
Título original: *Mountains*
Edición original: © Kingfisher Publications Plc
Maquetación: TXT Servicios editoriales – Esteban García Fungairiño

Agradecimientos
La editorial quisiera agradecer a aquellos que permitieron la reproducción de las imágenes. Se han tomado todos los cuidados para contactar con los propietarios de los derechos de las mismas. Sin embargo, si hubiese habido una omisión o fallo la editorial se disculpa de antemano y se compromete, si es informada, a hacer las correcciones pertinentes en una siguiente edición.

Photographs: *cover* Getty Stone; 1 Corbis/W Wayne Lockwood; 2–3 Corbis/Charlie Munsey; 4–5 Alamy/Nagelestock; 6–7 Corbis/Eye Ubiquitous; 7*tr* Corbis/Galen Rowell; 9 Corbis/Reuters; 10–11 Photolibrary.com; 11*br* Getty/Science Faction; 12 Corbis/Joseph Sohm; 13 Corbis/Ric Ergenbright; 15*tr* Frank Lane Picture Agency/Winfried Wisniewski; 15*bl* Arboretum de Villardebelle, France; 16–17 Getty/Stone; 17*br* Alamy/Aflo Foto; 18*l* Corbis/Galen Rowell; 18–19 Getty/Imagebank; 19*r* Photolibrary.com; 20 Corbis/Eye Ubiquitous; 21*t* Corbis/Tom Bean; 21*br* Corbis/Paul A Souders; 22 Alamy/Brett Baunton; 23*t* Natural History Picture Agency/Alberto Nardi; 23*b* Science Photo Library/Kaj R Svensson; 24 Corbis/Steve Kaufman; 25*t* Alamy/Imagina Photography; 25*b* Corbis/Joe McDonald; 26*c* Alamy/Andrew Woodley; 26–27*b* Getty/Stone; 27*t* Alamy/Terry Fincher Photos; 28–29 Photolibrary.com; 29*t* Alamy/Mediacolor's; 30 Corbis/Zefa; 31*t* Getty/Photographer's Choice; 31*br* Getty/Aurora; 32 Getty/Digital Vision; 33*tl* Alamy/David R Frazier Photolibrary; 33*b* Alamy/Phototake; 34 Alamy/Publiphoto Diffusion; 35*tl* John Cleare Mountain Camera; 35*b* Getty/Photographer's Choice; 36*c* Royal Geographical Society; 36*br* Corbis Montagne Magazine; 37 Corbis/Sygma; 38 Alamy/f1 online; 38–39 Alamy/StockShot; 39*c* Corbis/Ashley Cooper; 40 Corbis/EPA; 41*t* Corbis/John van Hasselt; 41*b* Frank Lane Picture Agency/Foto Natura; 43*tl* Getty/NGS; 43*b* Mary Evans Picture Library; 48 Alamy/Imagestate

Ilustraciones páginas: 8, 11, 12, 13, 16 Peter Winfield; 14–15 Steve Weston

Fotografía por encargo de las páginas 42-47 por Andy Crawford.
Coordinadora de sesión fotográfica: Jane Thomas
Agradecimiento a los modelos Jamie Chang-Leng, Mary Conquest y Georgina Page

Montañas

Margaret Hynes

Contenido

¿Qué son las montañas?

Una montaña es una inmensa masa rocosa que se eleva sobre la superficie de nuestro planeta. Hay montañas en la tierra, bajo los océanos e incluso en otros planetas.

Hileras de enormes montañas

Los grupos de montañas se llaman cordilleras. El Himalaya es una cordillera de Asia donde se encuentran los picos más altos del mundo.

pico – *es la parte más alta de una montaña*

Frío en la cima

Hay menos aire en la cima de la montaña que en las faldas y también hace más frío, por eso algunos picos están nevados todo el año.

El mundo en movimiento

La superficie rocosa de la tierra se llama *corteza*, y está dividida en placas que encajan como rompecabezas. Las placas se desplazan sobre la faz de la Tierra.

Placas en movimiento

Este mapa muestra las placas y la dirección en la que se mueven. Algunas placas chocan entre ellas mientras que las otras se retiran.

PLACA NORTEAMERICANA

PLACA EUROASIÁTICA

PLACA DEL PACÍFICO

PLACA DEL PACÍFICO

PLACA DE NAZCA

PLACA DE AMÉRICA DEL SUR

PLACA DE ÁFRICA

PLACA INDOAUSTRALIANA

PLACA DEL ANTÁRTICO

Clave

〰 Límites de la placa

→ Dirección en la que se mueve la placa

placas – *enormes extensiones de tierra que "flotan" sobre la roca líquida*

Terremotos

Cuando los bordes de dos placas chocan,
se presionan uno contra otro, las placas
se superponen y se producen terremotos
que, en ocasiones, causan terribles daños.

corteza – *la superficie dura y rocosa de la tierra*

Montañas de fuego

Algunas montañas son volcanes que se forman cuando el *magma* emerge por una grieta en la corteza. La piedra líquida se enfría y endurece formando así una montaña.

Erupciones violentas

El Etna es un volcán de Italia. Cuando entra en erupción, escupe magma. Cenizas, gases, polvo y piedras calientes son disparados hacia el cielo.

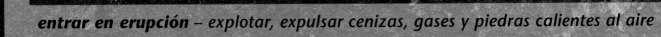

entrar en erupción – *explotar, expulsar cenizas, gases y piedras calientes al aire*

Puntos calientes del Pacífico

volcán
más joven
de la isla

isla que
se formó
antes

magma

corteza

piedra blanda

Manchas calientes

Las islas del archipiélago hawaiano son volcanes que se formaron mientras la placa del Pacífico pasaba sobre una zona ardiente y activa llamada *punto caliente*.

El flujo de la lava

Una vez que el magma sale del volcán se convierte en lava que avanza montaña abajo, como un río de fuego.

lava *– piedra fundida en la superficie de la Tierra*

Una roca creciente

Muchas montañas se forman en áreas en las que las placas se empujan unas a otras. Las placas en movimiento presionan la tierra y crean montañas.

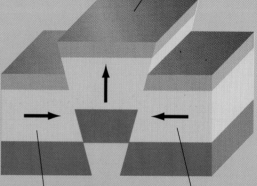

la presión empuja los bloques de piedra

continente A   continente B

Fallas

El movimiento de las placas puede causar grietas en la corteza que crecen hasta formar fallas de bloques montañosos.

Erosión

La cordillera de Wasatch en EEUU, es una falla de bloque montañoso. Su perfil ha sido erosionado durante mucho tiempo.

falla – *una grieta en la corteza terrestre*

Pliegues de montañas

Cuando dos placas chocan,
pueden producir capas
de piedra en la corteza
ondulándola, lo que forma
montañas tipo "pliegue".

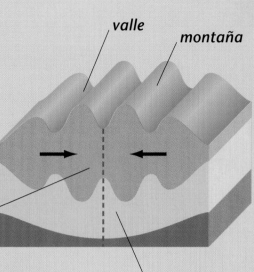

valle

montaña

*el continente A choca
con el continente B*

continente B

Pliegues de roca

Al ser aplastadas, las
capas de piedra de la
corteza hacen formas en
zigzag llamadas *pliegues*.

ondular – *generar ondas*

En las laderas

Una montaña alta tiene zonas o regiones. Cada zona tiene plantas y animales diferentes. En la cima viven muy pocas plantas y animales.

Cubierta de plantas

El bosque cubre la región baja de las montañas. Más arriba hay una pequeña zona de plantas bajas.

coníferas

árboles caducifolios

coníferas – *árboles con hojas en forma de aguja y fruto en forma de cono*

pico helado

región alpina

Aves de montaña

El viento es más fuerte en la cima de las montañas, por lo que sólo aves fuertes, como esta águila carroñera, pueden volar allí.

Coníferas

Estas piñas y agujas de pino pertenecen a una conífera. Las coníferas tienen forma piramidal, lo que ayuda a que la nieve se resbale.

árboles caducifolios – son los árboles que pierden sus hojas en otoño

Clima de montaña

El clima cambia muy rápido en las montañas. Una tormenta puede empezar en sólo unos minutos y la temperatura puede caer rápidamente hasta bajo cero.

A refugio de la lluvia

Algunas montañas son tan altas que bloquean las nubes. En un lado de la montaña puede estar lloviendo mientras que el otro lado se mantiene seco.

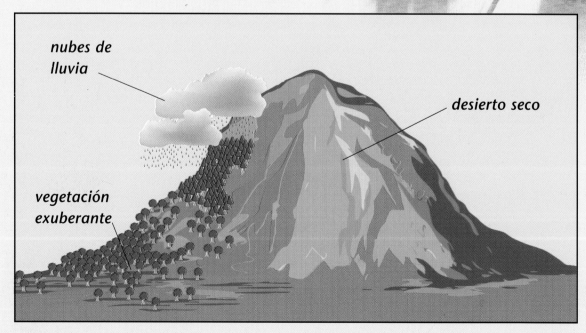

nubes de lluvia

desierto seco

vegetación exuberante

vegetación – plantas

Ventisca

Las tormentas de nieve con fuertes vientos se llaman *ventiscas*. Con ventisca es mucho más difícil y peligroso practicar deportes de montaña.

Sol abrasador

La luz del Sol pasa fácilmente a través del fino aire de la montaña. La nieve refleja los rayos de luz en la piel y puede causar quemaduras incluso haciendo frío.

reflejar – *cuando los rayos rebotan en alguna superficie*

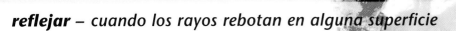

Glaciares

Grandes ríos de hielo, llamados glaciares, se forman en los picos de algunas de las más altas montañas. Los glaciares se mueven montaña abajo muy despacio.

¿Cómo se forman los glaciares?

La nieve se acumula en valles rocosos, llamados *circos*, en la parte alta de la montaña. La nieve se convierte en hielo y forma glaciares.

valles – *llanuras de tierra entre montes o alturas*

Grietas en el hielo

Las fisuras son grietas que se forman en el glaciar al deslizarse el suelo. Son muy profundas y peligrosas, por eso los montañeros usan cuerdas de seguridad.

Dejar atrás

Los glaciares recogen rocas y las arrastran. Cuando el hielo se derrite, estas rocas van quedando atrás.

Desgaste

Todas las montañas están sometidas a los elementos. Hielo, viento y agua las desgastan durante millones de años.

La vieja montaña

Las montañas jóvenes son abruptas y, conforme van envejeciendo, los elementos lentamente las desgastan y las hacen más redondeadas.

elementos – *nombre del grupo formado por tierra, fuego, aire y agua*

Esculturas de hielo

Los glaciares se van desplazando y erosionando a su paso la montaña. Esto produce valles enormes en forma de "U", como este en California, EEUU.

Piedras rodantes

El hielo va tallando las piedras de la montaña, que ruedan por las pendientes y se acumulan en las faldas.

Plantas **valerosas**

Las plantas que crecen en las pendientes de la montaña se han adaptado a los fuertes y fríos vientos y al clima extremo.

Árboles pequeños

Algunos sauces y abedules crecen en la parte alta de la montaña, aferrándose con fuerza al terreno para sobrevivir ante los vientos.

ácido – sustancias que desgastan otras sustancias

Soldanella alpina

La *Soldanella alpina* desprende calor y derrite la nieve que la rodea. El calor de la planta le facilita florecer en primavera.

Crecer en las rocas

Los líquenes viven en picos rocosos y producen ácidos que hacen que las piedras se descompongan. Después echan delgadas raíces entre las rocas para obtener los nutrientes.

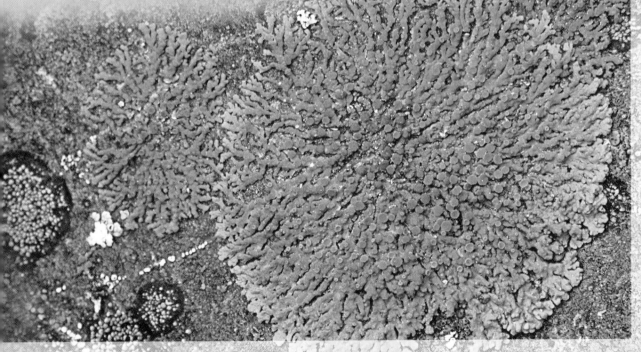

Animales adaptables

Algunos animales que viven en las montañas se han adaptado para enfrentarse a las empinadas pendientes. Otros se han adaptado a los vientos y las temperaturas bajo cero.

Un baño caliente

El macaco japonés, durante el invierno, se baña en cálidas aguas calentadas por los volcanes.

Trepadores de montaña

A las cabras de montaña se les da de maravilla saltar por la superficie de las montañas rocosas. Sus pezuñas son huecas, por lo que les sirven como almohadillas y las ayudan a sujetarse.

Anticongelante natural

El lagarto de cola espinosa puede mantener su sangre líquida a temperaturas bajo cero, así que puede sobrevivir en las heladas montañas de México.

anticongelante – *sustancia que evita que los líquidos se congelen*

Vivir en las montañas

La gente de la montaña ha aprendido a vivir en lugares escarpados, remotos y a veces peligrosos. Cultivan para comer y crían animales.

Animales de montaña

Los yaks son animales muy útiles. Proporcionan comida y lana a los agricultores. También son útiles para transportar peso.

comodidades – *edificios y servicios tales como sanidad y escuelas*

Ciudades de montaña

Katmandú está cobijado
por el Himalaya pero tiene
las mismas comodidades
que cualquier otra ciudad
moderna.

Cultivar alimentos

Los campos de la montaña
son escarpados y con poco
suelo cultivable. Muchos
agricultores construyen
terrazas para evitar que
la tierra se deslice.

terrazas – campos escalonados

Lugares que visitar

Aunque es difícil trasladarse a través de las montañas, hay muchas maneras y adelantos para hacerlas más fáciles de recorrer y poder disfrutar.

Caminos largos y ventosos

Los caminos de las montañas no suelen ir en línea recta porque serían muy inclinados, por eso se realizan en zigzag.

zigzag – *en forma de Z*

Subiendo por un cable

Un cable en movimiento transporta la cabina de este teleférico a lo alto de la montaña. Los esquiadores usan teleféricos para llegar a la cima y bajar después esquiando.

cable – *larga cuerda generalmente hecha de alambres de metal*

Turismo

Las montañas son lugares grandiosos.
En ellas podemos esquiar, acampar,
escalar o montar en bicicleta. Pero
debemos tener cuidado y proteger
estos lugares para que podamos
disfrutarlos también
en el futuro.

Saltar al vacío

Muchos deportistas se lanzan
desde las cimas con alas delta
para planear en el aire cálido
que sube del suelo.

Deportes de invierno

Los esquiadores disfrutan
deslizándose y saltando
por las empinadas
pendientes.

Cuando la nieve se derrite

Muchos turistas dejan allí su
basura cuando van a las
montañas. Esto contamina
y daña muy gravemente
la vida salvaje.

Recursos de las montañas

Escondidos en la montaña yacen valiosos recursos, como materiales para construcción y metales. También hay recursos útiles en las pendientes, como los árboles.

Bloques de construcción

Cada día, grandes camiones remueven toneladas de piedras de las montañas que se usan para construir edificios y puentes.

recursos – materiales que pueden ser usados para hacer otras cosas

Talando árboles

Empresas madereras plantan árboles de crecimiento rápido en algunas zonas de la montaña. Cuando los árboles han crecido, los leñadores los talan para convertirlos en madera y combustible.

Metal de minas

Algunas rocas de montaña son ricas en oro, plata, cobre y estaño. Los mineros usan largos taladros para excavar en la piedra y sacar de ella estos metales.

Montañismo **actual**

Los montañeros de hoy están muy bien preparados para escalar. Tienen comida especial que les proporciona energía, ropa diseñada para no perder calor e importantes equipos de seguridad.

Descanso nocturno

Por la noche, los montañeros se protegen del mal tiempo en tiendas de campaña que son muy ligeras, resistentes e impermeables.

equipo de seguridad – *cuerdas, arneses y picos que se necesitan para escalar*

Suministro de oxígeno

En alturas muy elevadas, el aire tiene poco oxígeno, por eso los alpinistas necesitan botellas de oxígeno para poder respirar.

Traje para escalar

Los alpinistas usan prendas rellenas de plumas para mantener el calor. Estos trajes los protegen del viento y del agua.

Alcanzar la cima

Escalar es un deporte muy popular. Mucha gente ha escalado las montañas más altas, incluso la más alta en la Tierra, el monte Everest.

La última escalada

Mallory e Irving comenzaron a escalar el Everest en 1924. Ambos murieron en la montaña y nadie sabe si alcanzaron la cima antes de morir.

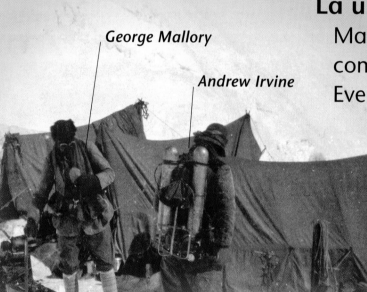

George Mallory

Andrew Irvine

Un alpinista extraordinario

Reinhold Messner ha escalado los 14 picos más altos del mundo. Es la primera persona que escaló el Everest sin botella de oxígeno.

oxígeno – *uno de los gases del aire*

Una mujer sorprendente

Catherine Destivelle es de las mejores escaladoras del mundo. Es capaz de escalar peligrosas pendientes, a veces usando sólo uno o dos de sus dedos para impulsarse hacia arriba.

¡Avalancha!

Una gran masa de nieve y hielo puede repentinamente desprenderse y caer por una pendiente; es lo que se conoce como *avalancha*.

Predecir avalanchas

Gracias a la información que obtienen en las estaciones meteorológicas, los científicos son capaces de predecir cuándo se producirá una avalancha.

predecir – *anunciar que algo va a pasar*

Avalancha en acción

Algunas avalanchas van tan rápido como un coche de carreras. Arrastran cualquier cosa que se ponga en su camino: árboles, personas e incluso pueblos.

Protección

Esta valla de acero se construyó para impedir que las avalanchas alcanzasen el pueblo que hay en la falda de la montaña.

acero – *fuerte metal compuesto de hierro y carbono*

Rescate en la montaña

Incluso los montañeros con más experiencia se pueden ver en problemas. Por eso hay equipos de rescate muy bien entrenados y preparados para rescatar a los alpinistas.

Cuerdas corredizas

Los equipos de rescate a veces necesitan cuerdas para deslizar a personas heridas por la montaña.

con experiencia – *que ya ha realizado algo con anterioridad*

Helicópteros de rescate

Los helicópteros pueden alcanzar rápidamente los picos más remotos, así, los equipos de rescate pueden llegar hasta las personas heridas y ponerlas a salvo.

Perros de rescate

Los perros San Bernardo tienen un fuerte sentido del olfato y se los puede entrenar para detectar a las víctimas de una avalancha.

remoto – *muy alejado*

Misterios de la montaña

En las montañas se pueden encontrar fósiles de animales marinos y cosas sorprendentes.

Sombra fantasma
Al escalar una montaña cuando el Sol está bajo, se proyecta una enorme sombra en las nubes bajas.

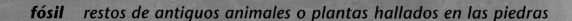

fósil   *restos de antiguos animales o plantas hallados en las piedras*

¿Un pez?

Se encuentran muchos fósiles de peces en las piedras de las montañas. Esto es porque hace millones de años las montañas eran parte del fondo del mar.

Bigfoot

Hay una leyenda sobre la existencia de una enorme criatura llamada *Bigfoot* que vive en las montañas pedregosas. Nadie sabe si existe en realidad.

Crear montañas

Haz una cordillera de montañas

Descubre cómo la tierra es empujada hacia arriba cuando dos placas chocan.

Amasa con el rodillo cada bola de plastilina para hacer una plancha de 25 milímetros de espesor.

Materiales
- 2 bolas de plastilina de diferentes colores
- Una bandeja
- Un rodillo
- Plástico para envolver

Coloca los dos pedazos en el plástico envolvente y sepáralos 10 milímetros.

Empuja suavemente los dos bloques de plastilina haciendo que se choquen. Tu cordillera de montañas crecerá hacia arriba.

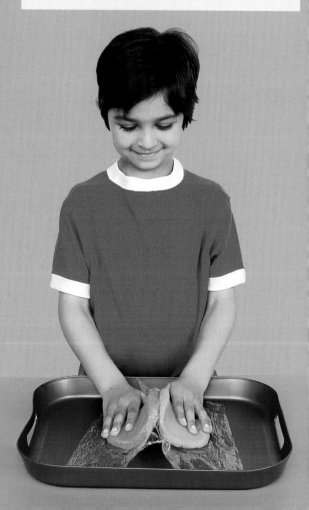

Dejar huella

Huellas de *Bigfoot*

Haz una huella de *Bigfoot* y regálasela a un amigo.

Materiales
- Una cartulina grande
- Pinturas y pinceles
- Rotulador
- Tijeras
- Esponja

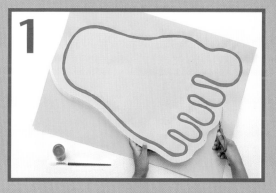

Dobla la cartulina horizontalmente y pinta un gran pie. Recorta la figura sin cortar la parte doblada.

En una esponja dibuja un pie más pequeño y recórtalo.

Remoja la esponja en algún color y decora tu cartulina con muchas huellas pequeñas.

¡Tu tarjeta está lista!

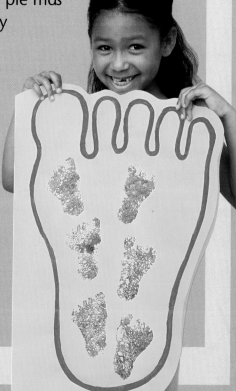

Teleférico

Haz un teleférico

Los teleféricos pueden subir altas montañas mediante cables. Haz una maqueta para subir y bajar tu montaña.

Materiales
- 3 cajas pequeñas
- Papeles de colores
- Un lápiz con bastante punta
- Plastilina
- Un pedazo largo y uno corto de cuerda
- Canicas
- Cinta adhesiva
- Una caja más pequeña

Cubre las 3 cajas con papeles de colores formando árboles y montañas.

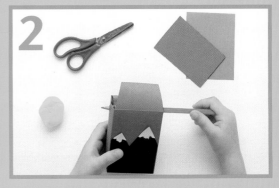

Haz un agujero en la parte de arriba de cada caja con un lápiz afilado. Pégalas con la plastilina.

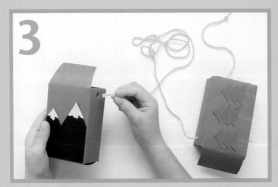

Pasa el pedazo largo de cuerda a través de los agujeros.

Coloca algunas canicas en las cajas. Ciérralas con cinta adhesiva.

Decora la caja más pequeña con papel de colores para que parezca una cabina de teleférico.

Enrolla el pedazo corto de cuerda y pégalo con la cinta adhesiva a la cabina, luego átalo en la cuerda larga.

Coloca la parte de arriba de la montaña en una caja. Empujando el pedazo largo de la cuerda, podrás llevar tu teleférico la falda de la montaña y volverlo a subir a la cima.

Índice